LA QUÊTE DE L'OISEAU DU TEMPS

3. la voie du Rige

scénario : Le Tendre et Loisel
direction graphique : Loisel
dessin : Mallié
couleur : Lapierre avec l'aide d'Annie Richard

DARGAUD

PARIS • BARCELONE • BRUXELLES • LAUSANNE • LONDRES • MONTREAL • NEW YORK • STUTTGART

www.dargaud.com

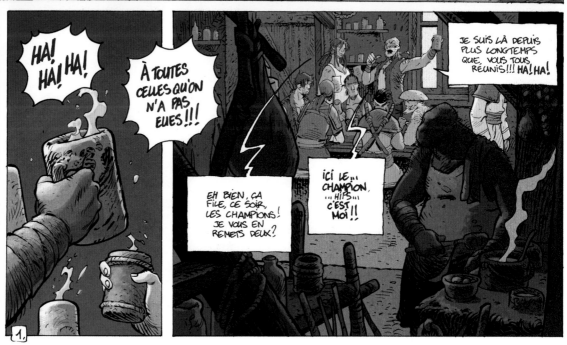

IL S'APPELLE KANDOR ET J'AI COMBATTU DANS SES ARÈNES.

À VAGUAMARE, C'EST ÇA ?

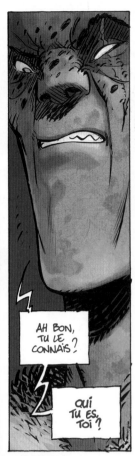

AH BON, TU LE CONNAIS ?

QUI TU ES, TOI ?

NOTRE BAVARD, IL S'APPELLE BRAGON.

MOI, C'EST FLAMBOISE.

BRAGON MH - MMM...

NOUS AVONS BEAUCOUP ENTENDU PARLER DE TOI. N'EST-CE PAS, COMPAGNONS ?

MH - MH

IL FAUT DIRE QUE TU AS LAISSÉ LÀ-BAS UNE SACRÉE IMPRESSION...

"TU ES DEVENU UNE LÉGENDE !!! MÊME POUR LES ENFANTS !!!

COMMENT VA ASPYR ?

3.

5

ASPYR! HA! HA!

LE PAUVRE. IL ERRE DANS LES RUELLES EN MAUDISSANT TON NOM.

ASPYR!?

C'EST TOI QUI L'AS TERRASSÉ?

BRAGON! MAIS OUI... SANG ET FUMÉE! C'EST LUI LE FAMEUX BRAGON!!

COMMENT ÇA SE FAIT QU'ON N'AIT PAS FAIT LE RAPPROCHEMENT?

MOI, JE L'IMAGINAIS AVEC UN FACIÈS DE BRUTE, UN PEU COMME VOUS AUTRES! HI! HI! HI!

MON DERNIER ADVERSAIRE N'ÉTAIT PAS MAL NON PLUS...

KRAK

... MAIS PAS ASSEZ RAPIDE.

QUEL DOMMAGE QUE TU AIES DISPARU APRÈS TON DERNIER COMBAT, BRAGON.

TOUS DEUX, NOUS AURIONS PU FAIRE UN SACRÉ SPECTACLE.

SANS DOUTE, L'AMI. SANS DOUTE.

ET TOI, QUEL EST TON NOM?

JE M'APPELLE DEVEL.

BZZZZZZ

ALORS TOI AUSSI, DEVEL, TU VIENS ATTENDRE AVEC NOUS?

NON, MOI JE NE FAIS PAS PARTIE DE CEUX QUI ATTENDENT...

SNAP

... MAIS DE CEUX QUI AGISSENT.

QUE VEUX-TU DIRE PAR LÀ, MON JEUNE AMI ?

JE CONNAIS LES RÈGLES DU JEU.

TOUTES LES RÈGLES.

CELUI EN QUI IL AURA SUFFISAMMENT CONFIANCE POUR LUI TRANSMETTRE SA HACHE...

JE SAIS QUE C'EST LUI QUI CHOISIRA UN JOUR CELUI QUI SERA DIGNE D'ÊTRE SON ÉLÈVE.

CELUI QUI SERA PLUS TARD SON SUCCESSEUR.

MAIS MOI, C'EST DIFFÉRENT. J'AI UNE MISSION D'IMPORTANCE !

JE SUIS LÀ POUR SERVIR LA CAUSE.

NOUS SOMMES LES CHAMPIONS DE L'ORDRE !

L'ORDRE DU SIGNE.

ET JE SUIS LÀ POUR LE TUER !!!

TUER LE RIGE !

5.

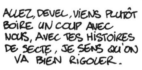

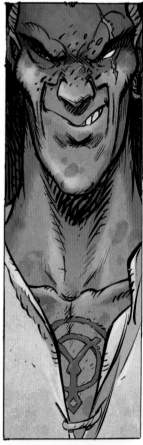

HAAA...

OUTCH!!

KLÄT

?!

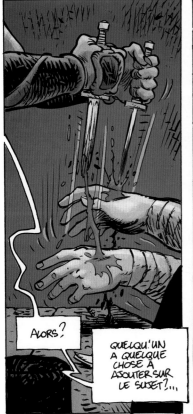

ALORS?

QUELQU'UN A QUELQUE CHOSE À AJOUTER SUR LE SUJET?...

...PERSONNE?

FLAMBOISE!!

ON POURRAIT DISCUTER SUR LE SUJET, MAIS MOI JE NE SUIS PAS VENU JUSQU'ICI POUR ME CONFRONTER AUX AUTRES.

J'AI D'AUTRES AMBITIONS.

DOMMAGE.

AUBERGISTE, POUVONS-NOUS UTILISER VOTRE REMISE? MES AMIS ET MOI SOMMES FATIGUÉS DE NOTRE LONG VOYAGE.

...HEU...

C'EST PARFAIT, JE VOUS REMERCIE.

7.

KLONG
KLONG
KLONG
KLONG KL

ENTRE, GAMIN!

JE SUPPOSE QUE TU VEUX ENCORE "LA" VOIR? ÇA VA DEVENIR UN RITUEL HA, HA!!!

OUI, UN RITUEL.

BON, ALORS DÉPÊCHE-TOI. J'AI BIENTÔT FINI MA JOURNÉE... DEMAIN MATIN, JE ME LÈVE TÔT, MOI.

8.

BRAGON ?...

HÉ BRAGON! J'AI FINI... FAUT QUE J'Y AILLE.

TU SAIS QUE TU PEUX LA TOUCHER.

ELLE VA PAS TE MORDRE. HA! HA!

TU N'AS PAS PEUR QU'ON TE LA VOLE ?

VOLER LA HACHE DU RIGE ?!

HO! HO! FAUDRAIT ÊTRE COMPLÈTEMENT FOU!

DE TOUTE FAÇON, DANS CE CAS...

... IL LE SAURAIT RAPIDEMENT.

UN JOUR VIENDRA OÙ IL SERA TEMPS POUR LE RIGE DE QUITTER SON TERRITOIRE ET D'ÉCHANGER SA HACHE...

ET PEUT-ÊTRE QU'ALORS L'UN DE VOUS AUTRES SERA CHOISI ET POURRA PRÉTENDRE DEVENIR SON ÉLÈVE... MAIS TU SAIS DÉJÀ TOUT CA.

UN JOUR OUI,? MAIS QUAND ?

NI MOI NI PERSONNE N'EN SAVONS RIEN, BRAGON.

MOI, CETTE HACHE, JE L'AI FORGÉE IL Y A FORT LONGTEMPS...

MAIS IL RESSEMBLE À QUOI, LE RIGE ?

JE NE L'AI ENCORE JAMAIS VU MAIS MON PÈRE ME RACONTAIT QUE LA PREMIÈRE FOIS OÙ IL L'AVAIT RENCONTRÉ...

... LA RÉPUTATION DE COMBATTANT DU RIGE ÉTAIT DÉJÀ REDOUTABLE D'UN BOUT À L'AUTRE D'AKBAR...

ET CELLE DE MON PÈRE LE PLAÇAIT, LUI, PARMI LES MEILLEURS FORGERONS DU PAYS.

C'EST POURQUOI LE RIGE LUI AVAIT DEMANDÉ DE LUI FAÇONNER L'ARME QUI CONVIENDRAIT LE MIEUX À SES CHASSES.

... ET COMME TU VOIS, MON GARÇON, SON TERRITOIRE EST VASTE.

CE SERAIT UNE SORTE DE GÉANT AVEC UN VISAGE FROID COMME LA MORT OÙ LUISENT DEUX PETITS YEUX PERÇANTS.

9.

HA-AAA,,,

MON ONCLE!?

FLAMINE.

,,FLAMINE,,,

,,,PRÉVIENS,,,

,,TOUT LE MOND,,,

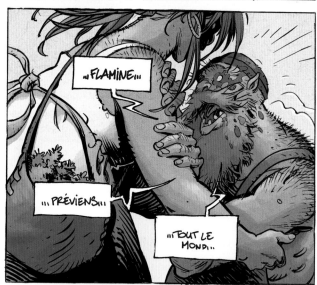

À L'AIDE!!

AU SECOURS!!

IL FAUT LES RATTRAPER !

JE.... VOUS EN SUPPLIE....

SANG ET FUMÉE !! QU'EST-CE QUI SE PASSE ICI ?

LE FORGERON A SURPRIS DEVEL ET SES ACOLYTES EN TRAIN DE DÉROBER LA HACHE DU RIGE.

QUOI ?

CE FUMIER A OSÉ !!!

AVANT DE PERDRE CONNAISSANCE, J'AI JUSTE EU LE TEMPS DE LES VOIR DESCENDRE VERS LE TERRITOIRE DU RIGE.

IL SAVAIT QU'EN DÉROBANT LA HACHE, LE RIGE VIENDRAIT À SA RENCONTRE.

MAIS... POURQUOI ?

COMMENT ?

MERCI FLAMINE, ÇA IRA.

ON A DÛ BIEN LE RENSEIGNER.... IL CONNAISSAIT TOUTES LES RÈGLES, IL L'A DIT....

"ON" ?....

QUI ÇA, "ON" ?

SES COPAINS DE L'ORDRE DU SIGNE ?

ÇA NE FAIT AUCUN DOUTE, ILS SONT PARTOUT !

MAIS QUI ILS SONT, À LA FIN ?.. TU LES CONNAIS, TOI ?

J'AI DÉJÀ EU AFFAIRE À ELLES... DES ADORATEURS DU DIEU RAMOR.

HUM...

RAMOR ?

ASSEZ PERDU DE TEMPS, COMPAGNONS !....

...PRENONS NOS ARMES ET ALLONS RATTRAPER CES FANATIQUES !!!

J'EN SUIS !

OUAIS ! ENFIN UN PEU D'ACTION !

11.

BRAGON! SERS-TOI DANS MA FORGE.

JE PEUX?

ET PRENDS CE QU'IL Y A DE MIEUX.

CELLE-CI SERA PARFAITE.

BRAGON, ATTENDS!

TIENS. VOUS AUREZ BESOIN DE LUI. IL S'APPELLE DRAK. C'EST LE MEILLEUR PISTEUR DU VILLAGE.

MERCI, IL NOUS SERA TRÈS UTILE.

ROUF!

SOIS PRUDENT QUAND MÊME.

J'AI COMPRIS QUE TU N'ÉTAIS PAS COMME LES AUTRES...

...TON REGARD À TOI EST TOUJOURS AILLEURS.

12.

CE QUE TU RECHERCHES, C'EST PAS POUR CONQUÉRIR LA GLOIRE, HEIN ?

UNE FEMME, C'EST ÇA ?

FLAMINE ! J'AI BESOIN DE TOI !

ON EST PRÊTS, BRAGON !

EH ! ATTENDEZ, LES GARS..!!

VOUS ALLEZ PAS ME LAISSER ICI ?

DÉSOLÉ, VIEUX.

MAIS DANS L'ÉTAT OÙ SONT TES MAINS, TU NE VAS PAS NOUS ÊTRE TRÈS UTILE.

MHMM...

TU SAIS, FLAMBOISE, ILS ONT RAISON.

JE SAIS.

ET RAMENEZ-MOI SES PETITES MIMINES !

JE M'EN FERAI UN COLLIER, SANG ET FUMÉE..!!

13.

15

? QU'EST-CE QUE C'EST QUE CES GRAINES ROUGES ?

MON PÈRE M'AVAIT ALERTÉ. EN CAS DE VOL DE LA HACHE, C'EST LE SEUL MOYEN DE LE PRÉVENIR...

PRÉVENIR ?...

MAIS, PRÉVENIR QUI, SANG ET FUMÉE ?

...LUI...

...LE RIGE !

15.

LES SOLEILS D'AKBAR ÉTAIENT DÉJÀ HAUT DANS LE CIEL...

QUAND LES EFFORTS DE BRAGON ET SES COMPAGNONS FURENT ENFIN RÉCOMPENSÉS...

ÇA Y EST!

DRAK A RETROUVÉ LEUR TRACE!

ROUF ROUF

FLAMINE A BIEN FAIT DE NOUS LE CONFIER.

SACRÉE FLAMINE!

AH OUAIS!

ENTRE NOUS, LES GARS, MOI, J'LA TROUVE PLUTÔT APPÉTISSANTE.

J'IRAIS BIEN LUI GRATTER LE CUIR.

VOUS FATIGUEZ PAS, GAMINS!

J'AI L'IMPRESSION QU'ELLE EN PINCE POUR BRAGON...

HÉ, CHAMPION!

C'EST POUR QUAND, LES NOCES?

HAW HAW

SNIF SNIF

POUR L'INSTANT, C'EST NOUS QUI SOMMES EN CHASSE, MAIS SI VOUS CONTINUEZ AINSI, DEVEL ET SES SBIRES VONT FINIR PAR NOUS REPÉRER...

"...ET JE N'AI PAS ENVIE QUE LES RÔLES S'INVERSENT..."

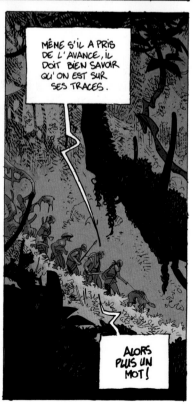

MÊME S'IL A PRIS DE L'AVANCE, IL DOIT BIEN SAVOIR QU'ON EST SUR SES TRACES.

ALORS PLUS UN MOT!

16.

TOUT AUTOUR D'EUX SEMBLAIT FIGÉ...

LE SOL HUMIDE ET NOIR DÉGAGEAIT UNE ÂPRE ODEUR DE FERMENTATION.

ET LA PISTE DE DEVEL AVAIT DISPARU.

NOYÉE.

?

ILS NE PRENNENT PAS BEAUCOUP DE PRÉCAUTIONS.

ILS SONT PASSÉS PAR LÀ.

ON CONTINUE !

DEPUIS LE DÉPART, UNE PENSÉE UN PEU FOLLE TARAUDAIT BRAGON...

QU'ADVIENDRAIT-IL DE SES RÊVES DE CHEVALERIE SI DEVEL...

... TUAIT LE RIGE ?

LA FORÊT S'ÉTENDAIT... IMMENSE...

...IMPRÉVISIBLE...

HARASSANTE.

ROUF

TAIS-TOI, DRAK !

?

" CES FLEURS COUPÉES... "

TOUS S'Y PRÉPARAIENT.

L'ÉPREUVE DE VÉRITÉ N'ÉTAIT PLUS TRÈS LOIN.

18.

?!

MILLE FURIES!

QU'EST-CE QUI SE PASSE?

LES CARTES VENAIENT DE CHANGER DE MAIN.

?!

LÀ... LES PISTES!... ELLES SE SÉPARENT!!

ON VA ÊTRE À DÉCOUVERT!

LES TRAQUEURS DEVENAIENT LES TRAQUÉS!!

SHTO

!?

SHÖF!

SNAP

KAIIIII

WHOW
WHOW

HA HAHA!

COMME C'EST AMUSANT!

?

!?

DE TON CÔTÉ, VOUS N'ÊTES PLUS QUE TROIS, BRAGON, ET DEUX DU MIEN...

ALORS... D'APRÈS TOI, HM-M... QUI A L'AVANTAGE?

EH BIEN...

MOI,

21.

J'AI DIT "MAIN" TOUT À L'HEURE.

JE POURRAIS ENCORE DIRE "VENTRE"!!!

ALORS?

ÇA VA...

TLAK

AHHH!

J'AI COMPRIS.

QUE PENSES-TU DE CET ENDROIT, BRAGON?

QUAND JE L'AI DÉCOUVERT, J'AI IMMÉDIATEMENT ÉTÉ SÉDUIT!

IDÉAL POUR UN FACE-À-FACE...

...ET TELLEMENT PLUS ACCUEILLANT QUE L'ARÈNE DE VAGUAMARE.

J'ADORE LES FLEURS...

TOUS CES PARFUMS. HMM ... ÇA ME GRISE, ÇA ME REND...

COMMENT DIRAIS-JE...

L'ÂME ARTISTE.

HMMM JE SUIS RAVI DE TON GOÛT.

C'EST UNE BELLE ARME QUE TU AS ICI.

TRANCHANTE.

UNE VRAIE MERVEILLE.

!

SWOCHH

ET BIEN ÉQUILIBRÉE.

ARRÊTE DE FAIRE TON BOUFFON, DEVEL!

SI TU VEUX QU'ON SE BATTE, BATTONS-NOUS!

BOUFFON?

..."CUISSE".

HAAAA!

MOUCHU!?

24.

26

HAAAA...

ÇA SUFFIT, GRANDE GUEULE !

J'VAIS TE CREVER !!

AH ENFIN, IL SE DÉCIDE.

QU'EN PENSES-TU, BRAGON ?

25.

RENDS-MOI MON ARME !...

JE TE LE RÉPÈTE, DEVEL !!!

...SI C'EST CE QUE TU VEUX, JE SUIS PRÊT AU COMBAT !

HAAP...

MAIS AVANT, JE VEUX TA PAROLE QUE TU ÉPARGNES MON COMPAGNON !

HAHA !

LOUABLE ATTENTION. J'APPRÉCIE ET J'ACCEPTE.

CAR VOIS-TU, MALGRÉ LES APPARENCES, JE NE SUIS PAS SANS...

...COEUR !

SCHTÖ

MOUCHU !

DÉSOLÉ, BRAGON.

ÇA M'A ÉCHAPPÉ !

TU N'ES QU'UNE ORDURE !!!

26.

TU N'ES PAS DIGNE DE COMBATTRE LE RIGE!

MAIS CE N'EST PAS GRAVE, ALLONS, ALLONS...

...C'EST PITOYABLE!

CROIS-TU QUE TES COMPAGNONS ÉTAIENT DIGNES, EUX, D'ÊTRE LES ÉLÈVES DU RIGE?

REGARDE-LES!...

À VAGUAMARE, NOUS AVONS ÉTÉ CHACUN LE MEILLEUR À NOTRE TOUR...

... MAIS PERSONNE NE SE SOUVIENDRA DE TOI QUAND J'AURAI RAPPORTÉ LA DÉPOUILLE DU RIGE.

CE QUI NOUS DIFFÉRENCIE, BRAGON, C'EST QUE MOI, J'AI UNE MISSION!

JE SAIS, TU ES LÀ POUR SERVIR LA CAUSE DE L'ORDRE DU SIGNE.

LE RETOUR DU DIEU RAMOR, N'EST-CE PAS?

C'EST VRAI -

ET QUAND LES PEUPLES D'AKBAR APPRENDRONT MON EXPLOIT...

"BEAUCOUP D'ENTRE EUX SE RALLIERONT À NOTRE CAUSE.

RAISON DE PLUS POUR QUE JE NE TE LAISSE PAS FAIRE, DEVEL.

AVANT D'AVOIR LA PRÉTENTION DE TUER LE MAÎTRE, IL VA FALLOIR...

"AFFRONTER SON ÉLÈVE? PEUT-ÊTRE?

HA HA!

ET C'EST TOI BRAGON, QUI PARLES DE PRÉTENTION!

EH BIEN, SOIT.

27.

29

28.

?

...MAÎTRE?

T...TIRE!...

TIRE, IMBÉCILE!!!

...TUE-LE!

HAAAA...

29,

JE T'EN PRIE.

PRENDS MA HACHE.

PUISQUE TU L'AS DÉROBÉE...

...TU SAIS CE QUE TU DOIS FAIRE.

LE... LE RIGE...

HÉLAS! EN PERDANT SON COMBAT CONTRE BRAGON...

... DEVEL AVAIT AUSSI PERDU CONFIANCE EN SES CAPACITÉS.

IL LUI RESTAIT SA MORGUE...

...SON ORGUEIL.

JE M'APPELLE DEVEL!

32.

THÂ, LA CITÉ DE LA MARCHE DES VOILES D'ÉCLIME...

PRINCE, J'AI PENSÉ QU'UNE PETITE COLLATION VOUS FERAIT DU BIEN.

MERCI, GALHOUM, C'EST AIMABLE DE VOTRE PART.

POSE ÇA LÀ, PATRINE.

PRINCE, VOUS TRAVAILLEZ TROP. VOUS AVEZ L'AIR TRÈS FATIGUÉ.

MERCI. TU PEUX TE RETIRER.

OUI, JE SAIS, MAIS LE TEMPS PRESSE. L'ORDRE DU SIGNE EST À L'AFFÛT.

ET DÉCHIFFRER LE GRIMOIRE DES DIEUX EST UN SI GROS TRAVAIL... JE ME FAIS VIEUX, SEUL, JE N'Y ARRIVERAI PAS.

CE QUI SE CACHE DANS SES PAGES N'EST PAS POUR LE COMMUN DES MORTELS, MON AMI...

IL Y A DES FORCES SI PUISSANTES QUE SEULS NOUS, LES PRINCES-SORCIERS, SOMMES AUTORISÉS À LES APPROCHER... SANS SOMBRER DANS LA FOLIE.

ET VOTRE FILLE...

OUI, BIEN SÛR, MARA M'AIDE, MAIS ÇA SERA LONG...

MÊME APRÈS MA MORT, IL LUI FAUDRA SACRIFIER UNE BONNE PARTIE DE SA VIE DE FEMME POUR ACHEVER CETTE TÂCHE.

MA PAUVRE ENFANT.

34.

MARA AUSSI L'AVAIT COMPRIS.

ELLE ÉTAIT REVENUE TRÈS ÉPROUVÉE PAR SON AVENTURE DANS LE MAT' BÂTA...

ELLE AVAIT DÉCOUVERT QU'ELLE N'ÉTAIT PAS IMMORTELLE.

ET QUE LA VIEILLESSE ÉTAIT UNE SOUFFRANCE.

MAIS AUSSI UNE IMPASSE QU'ELLE NE POURRAIT JAMAIS ACCEPTER !

POUR L'HEURE, LA JEUNE PRINCESSE NE VOULAIT GARDER SUR SES LÈVRES QUE LE TROUBLANT SOUVENIR D'UN BAISER.

UN LONG BAISER QUI AVAIT FAIT NAÎTRE DANS SON CŒUR UN SENTIMENT QU'ELLE NE RECONNAISSAIT PAS.

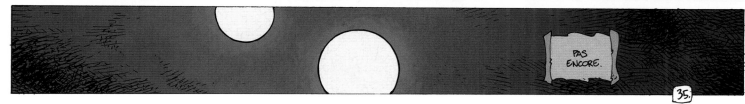

PAS ENCORE.

35.

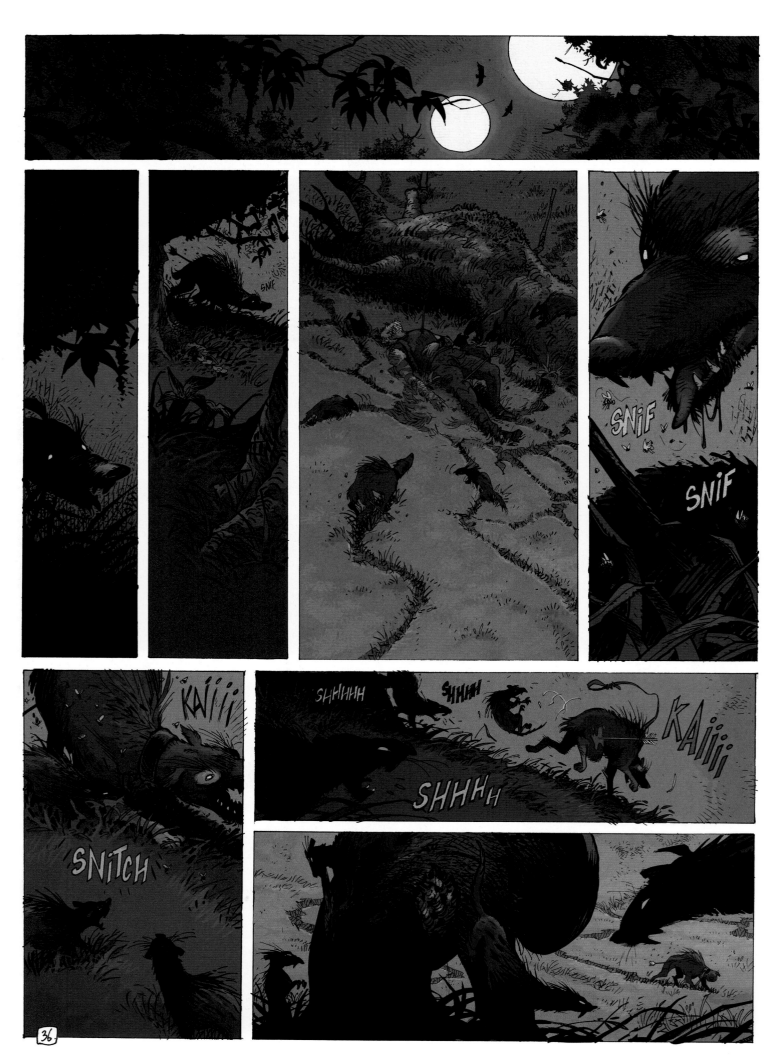

IL Y A
QUELQU'UN?

'''

C'EST VOUS,
RIGE?

YAAAAH!!!

KÄÏ

KÄÏ

KÄÏ

KÄÏ

KÄÏ

KÄÏ
KÄÏ
KÄÏ
KÄÏ

HEU... VOUS
AVEZ VU?

QU'EST-
CE QUE
C'ÉTAIT?

DES
GLABRES!

ON DIRAIT
QUE TU AS
EU DE LA
VISITE, BRAGON.

SEULS, ILS SONT
INOFFENSIFS...
SAUF À LA
PÉRIODE DE LA PONTE,
QUAND ILS
CHASSENT EN
NOMBRE...

...ET
LÀ...

...C'EST POUR
AUTRE
CHOSE...

V-VOUS EN
AVEZ VU
BEAUCOUP?

UNE SORTE
DE RITUEL.

...ET C'EST QUOI,
CETTE AUTRE CHOSE?

RESTONS
VIGILANTS...
ILS ÉTAIENT
UNE POIGNÉE.

39.

BIEN.

JE VOIS QUE TON ÉTAT S'EST AMÉLIORÉ. TA BLESSURE SEMBLE S'ÊTRE CICATRISÉE.

SUIS-MOI.

TU DOIS AVOIR FAIM.

J'AI EU DU MAL À LE DÉNICHER MAIS IL N'Y A PAS MIEUX QUE LE FOIE DE FIELLEUX POUR REDONNER DES FORCES.

MERCI, MAIS....

...VOUS ÊTES SÛR?

ÇA PUE VRAIMENT, CE.... CE TRUC.

MANGE, JE TE DIS.

TU EN AURAS BESOIN POUR REPARTIR.

RE.... PARTIR?

?

DEMAIN, TU SERAS SUR PIED ET TU RETOURNERAS D'OÙ TU VIENS.

COMPRENDS-TU?

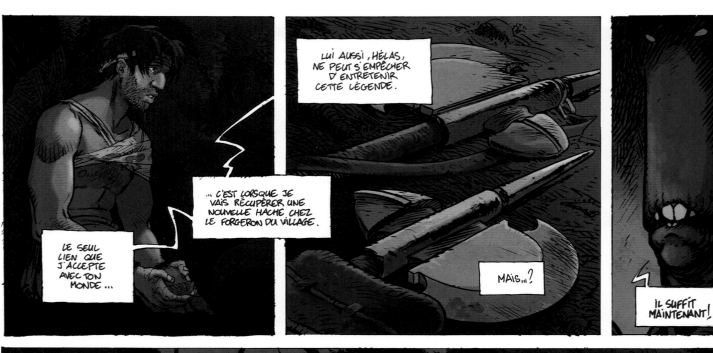

LUI AUSSI, HÉLAS, NE PEUT S'EMPÊCHER D'ENTRETENIR CETTE LÉGENDE.

... C'EST LORSQUE JE VAIS RÉCUPÉRER UNE NOUVELLE HACHE CHEZ LE FORGERON DU VILLAGE.

LE SEUL LIEN QUE J'ACCEPTE AVEC TON MONDE ...

MAIS ...?

IL SUFFIT MAINTENANT!

ICI, SUR CE TERRITOIRE, JE N'AI QUE FAIRE DE VOS CROYANCES!

MA VIE S'ORGANISE AUTOUR D'UNE SEULE CHOSE ...

JE TRAQUE ... J'APPÂTE ...

... LA CHASSE!

... J'APPROCHE ET JE TUE!

... C'EST MA LOI!

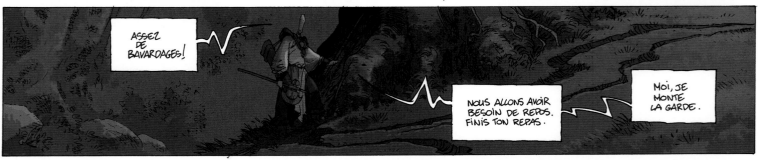

ASSEZ DE BAVARDAGES!

NOUS ALLONS AVOIR BESOIN DE REPOS. FINIS TON REPAS.

MOI, JE MONTE LA GARDE.

42.

44

LE LENDEMAIN MATIN...

RIGE, VOUS AVIEZ RAISON...

WOHAAA...

JE ME SENS NETTEMENT MIEUX... VOTRE FOIE, LÀ, ÇA M'A REQUINQUÉ...

ET JE NE SENS PLUS DU TOUT MA BLESSURE!...

J'AI UNE DE CES FAIMS...

RIGE?

VOUS ÊTES LÀ, RIGE?

AH...

...J'AI CRU UN MOMENT QUE VOUS EN AVIEZ PROFITÉ POUR...

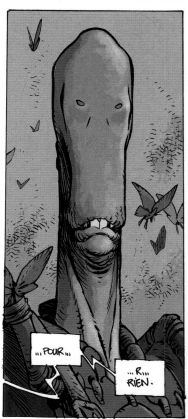

...POUR...

...R... RIEN.

HEU...ET À PART ÇA...

LA NUIT A ÉTÉ CALME?

JE NE M'ÉTAIS PAS TROMPÉ...

...LES GLABRES SONT EN CHASSE, ILS FOURMILLENT UN PEU PARTOUT DANS LA FORÊT...

J'EN AI TENU QUELQUES-UNS À DISTANCE...

AU FAIT, BRAGON ...

...AS-TU DÉJÀ VU UNE PODE ROUGE?

43.

45

C'EST UNE CRÉATURE QUI PRODUIT DEUX CHOSES INTÉRESSANTES.

LA PREMIÈRE, UNE GLANDE SITUÉE ENTRE SES BRANCHIES.

ELLE SÉCRÈTE UNE SUBSTANCE RARE DONT LES GRANDES VERTUS RÉGÉNÉRATRICES SONT TRÈS PRISÉES PAR CERTAINS GUÉRISSEURS QUI EN CONCOCTENT UN ONGUENT.

L'AUTRE CHOSE EST SA BAVE. ELLE, ELLE INTÉRESSE TOUT PARTICULIÈREMENT LES GLABRES.

ET SI LES GLABRES RÔDENT PAR ICI C'EST QUE - POUR EUX - IL EST TEMPS DE RÉCUPÉRER CETTE BAVE.

MAIS JE NE COMPRENDS PAS LE RAPPORT AVEC NOUS ?

VOUS VOULEZ DIRE QU'IL Y A UNE PODE ROUGE DANS LES ENVIRONS ?

SIMPLE. DURANT LA PONDAISON, LES GLABRES ONT BESOIN DE CETTE BAVE.

POUR LA RÉCUPÉRER IL FAUT SORTIR LA PODE DE SON TROU.

ET POUR LA FAIRE SORTIR, IL FAUT L'APPÂTER.

ET COMME LE MENU FRETIN NE LUI SUFFIT PAS, IL LUI FAUT UN GROS GIBIER!

COMPRENDS-TU MAINTENANT, BRAGON ?

SI J'ÉTAIS TOI, JE NE PERDRAIS PAS DE TEMPS POUR RETOURNER D'OÙ JE VIENS.

LES GLABRES POURRAIENT VENIR EN NOMBRE.

RAMASSE TES ARMES ET REBROUSSE CHEMIN.

PLUS VÎTE TU SERAS SORTI DE LA FORÊT, MIEUX ÇA VAUDRA POUR TOI.

C'EST BON.

J'AI COMPRIS.

44.

46

AVEZ-VOUS DÉJÀ SOUFFERT PARCE QU'UN ÊTRE CHER VOUS MANQUAIT, RIGE?

MOI, OUI.

...JE VOULAIS ÊTRE VOTRE ÉLÈVE POUR DEVENIR CHEVALIER ET POUVOIR ME RAPPROCHER D'ELLE...

UNE PRINCESSE DONT LE RANG M'INTERDIT TOUTE UNION...

OH, MON DÉSIR ÉTAIT PUR, C'EST VRAI...

"MAIS TELLEMENT...

"...TELLEMENT..."

45.

DEPUIS QUELQUE TEMPS DÉJÀ, LES CHOSES ONT CHANGÉ POUR MOI...

MON CŒUR S'EST ENDURCI... JE NE SUIS PLUS TOUT À FAIT LE MÊME...

... COMME SI J'AVAIS ABORDÉ DES VÉRITÉS MAIS SANS JAMAIS LES COMPRENDRE...

S'IL VOUS PLAÎT, RIGE...

... NE ME FORCEZ PAS À VOUS SUPPLIER...

RIGE?

?!

MILLE FURIES!?

D'OÙ ILS SORTENT, CEUX-LÀ?

46.

48.

PLUS QUE DE COUTUME, LES GLABRES ÉTAIENT PRESSÉS DE RENTRER CHEZ EUX ...

... CAR CETTE FOIS, ILS RAPPORTAIENT UN APPÂT DE CHOIX !

UN FESTIN POUR LA PODE ROUGE ...

... QUI ATTENDAIT LÀ-HAUT ...

... LOVÉE AU COEUR DE LEUR NID MINÉRAL !

49.

MILLE FURIES! QUEL MONSTRE!?

ELLE... ELLE EST ÉNORME!!

? ELLE M'A REPÉRÉ!

LE RÎGE M'AVAIT PRÉVENU...

C'EST MOI, LE GROS GIBIER!

ELLE VA PAS TARDER À SORTIR!

ÏÏÏÏÏK ÏÏÏÏK ÏÏÏÏÏK ÏÏÏÏÏK ÏÏÏÏK ÏÏÏK

ÏÏÏÏÏK ÏÏÏÏÏK ÏÏÏÏÏÏK ÏÏÏÏK

!?

ÏÏÏÏÏK

SANS ARME, JE SUIS FICHU.

KRIiii!

DÉSOLÉ, VIEUX...

KRIiiii

...MAIS JE VAIS AVOIR BESOIN DE...

KRiiiii

SKROK!

...ÇA!

SHLA

...

IL FAUT VRAIMENT QUE JE SORTE D'ICI!!!

CE... C'EST PAS VRAI !

...P... PAS COMME ÇA !! JE... DOIS TROUVER UNE SOLUTION !!

NOOOON !!

RÏÏÏÏGE !!!

ACCEPTE, BRAGON.

FAIS-MOI CONFIANCE.

59.

?!

PRINCESSE! V... VOUS N'ÊTES PAS BIEN?

MAÎTRE!! VENEZ!

VENEZ VITE!

MARA?... QU'EST-CE QUI SE PASSE?

JE... JE NE SAIS PAS... UN MAUVAIS PRESSENTIMENT, PÈRE...

... IL ...

... IL EST ARRIVÉ QUELQUE CHOSE À BRAGON!

PARFAIT.

LA POPE SE RELÂCHE.

SCRÖ

SHLORF

61.

BRAGON ?

RELÈVE-TOI.

LAISSONS LES GLABRES À LEUR RÉCOLTE...

ILS ONT ASSEZ DE BAVE POUR PROTÉGER TOUS LEURS OEUFS...

BIENTÔT UNE AUTRE PODE VIENDRA OCCUPER LE TROU...

...ET TOUT RENTRERA DANS L'ORDRE.

QUANT À MOI, J'AI EU CE QUE JE VOULAIS.

NOUS Y
SOMMES.
C'EST
ICI.

LAVE-TOI,
BRAGON.

63.

QU'EST-CE...

...QU'EST-CE QUE VOUS AVEZ VOULU DIRE PAR...

..." J'AI EU CE QUE JE VOULAIS "?

TU AS RAISON BRAGON, J'AVAIS BESOIN D'UN APPÂT... ET TU AS JOUÉ CE RÔLE À LA PERFECTION!

JE VOIS QUE TU SORS DE TON SILENCE... TES QUESTIONS REMONTENT EN TOI...

TU DIS QUE TU AS SOUFFERT À CAUSE D'UNE PRINCESSE... MOI AUSSI J'AI SOUFFERT... IL Y A BIEN LONGTEMPS...

J'AI SOUFFERT PARCE QU'UN ÊTRE QUI M'ÉTAIT CHER AVAIT DISPARU!

C'EST LUI QUI M'A TOUT APPRIS, IL ÉTAIT COMME UN PÈRE POUR MOI...

ET IL EST MORT!

J'EN PORTE LA RESPONSABILITÉ... DANS MON INSOUCIANCE, JE ME CROYAIS SON ÉGAL MAIS J'AI COMMIS UNE FAUTE IMPARDONNABLE.

C'ÉTAIT MON MAÎTRE, BRAGON.

64.

MON MAÎTRE ET MOI AVIONS L'HABITUDE DE CHASSER LA PODE ENSEMBLE.

NOUS FAISIONS CELA PLUS POUR LE PLAISIR QUE ÇA NOUS PROCURAIT QUE POUR LE BÉNÉFICE QUE NOUS RAPPORTAIT SA GLANDE ...

D'AILLEURS, C'EST GRÂCE À L'ONGUENT TIRÉ D'UNE DE CES GLANDES QUE J'AI SOIGNÉ TA BLESSURE À L'ÉPAULE.

D'HABITUDE, C'EST MOI QUI SERVAIS D'APPÂT ET C'EST LUI QUI TUAIT L'ANIMAL.

CE JOUR-LÀ, J'AI INSISTÉ POUR INVERSER LES RÔLES.

DURANT L'AFFRONTEMENT J'AI EU UNE HÉSITATION QUI NOUS A ÉTÉ FATALE ... J'AI ÉTÉ BLESSÉ ...

...MAIS C'EST LUI QUI EST MORT !

MON MAÎTRE ...

JUSQU'À CE JOUR, JE DÉDIAIS CHAQUE PODE QUE JE TUAIS À MON MAÎTRE.

UNE FAÇON POUR MOI DE PROVOQUER LA MORT POUR PAYER MA DETTE.

C'ÉTAIT UNE ERREUR ...

... MAIS AUSSI UNE ÉTAPE.

65.

67

MAINTENANT JE SAIS QUE CETTE VOIE N'ÉTAIT PAS LA BONNE...

"... ELLE N'ABOUTISSAIT À RIEN! IL ME FAUT REPRENDRE L'ENSEIGNEMENT DE MON MAÎTRE ET LE TRANSMETTRE...

CAR C'EST EN DEVENANT MAÎTRE À MON TOUR QUE JE SERAI LIBRE.

LIBRE?

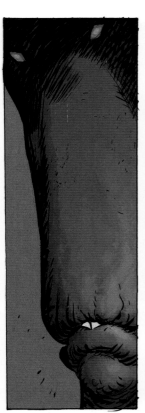

BRAGON, VEUX-TU DEVENIR MON ÉLÈVE?

DE L'ÉPISODE. LETENDRE - LOISEL ET MALLIÉ

66.

68